中华人民共和国国家标准

通信电源设备安装工程设计规范

Code for design of engineering for
telecommunication power supply equipment installation

GB 51194-2016

主编部门：中华人民共和国工业和信息化部
批准部门：中华人民共和国住房和城乡建设部
施行日期：2 0 1 7 年 4 月 1 日

中国计划出版社

2016 北 京

中华人民共和国国家标准
通信电源设备安装工程设计规范
GB 51194-2016

☆

中国计划出版社出版发行

网址:www.jhpress.com

地址:北京市西城区木樨地北里甲 11 号国宏大厦 C 座 3 层

邮政编码:100038　电话:(010) 63906433(发行部)

三河富华印刷包装有限公司印刷

850mm×1168mm　1/32　2 印张　45 千字

2017 年 3 月第 1 版　2021 年 3 月第 2 次印刷

☆

统一书号:155182・0024

定价:12.00 元

版权所有　侵权必究

侵权举报电话:(010) 63906404

如有印装质量问题,请寄本社出版部调换

中华人民共和国住房和城乡建设部公告

第 1293 号

住房城乡建设部关于发布国家标准《通信电源设备安装工程设计规范》的公告

现批准《通信电源设备安装工程设计规范》为国家标准,编号为 GB 51194—2016,自 2017 年 4 月 1 日起实施。其中,第 1.0.4、4.1.7、7.0.2、9.0.3(6)条(款)为强制性条文,必须严格执行。

本规范由我部标准定额研究所组织中国计划出版社出版发行。

中华人民共和国住房和城乡建设部
2016 年 8 月 26 日

前 言

本规范是根据住房城乡建设部《关于印发〈2009年工程建设标准规范制定、修订计划〉的通知》(建标〔2009〕88号)的要求,由中讯邮电咨询设计院有限公司编制完成。

本规范在编制过程中,规范编制组进行了调查研究,认真总结了多年来通信电源设备安装工程的设计经验,对规范条文反复讨论修改,广泛征求意见,并参考了国内外相关标准规定的内容,最后经审查定稿。

本规范共分10章和1个附录。主要技术内容包括:总则、术语、市电和通信局站分类及外市电引入、交流供电系统、直流供电系统、交流不间断电源(UPS)供电系统、防雷与接地系统、动力及环境监控系统、导线选择及布放、机房及设备布置等。

本规范中以黑体字标志的条文为强制性条文,必须严格执行。

本规范由住房城乡建设部负责管理和对强制性条文的解释,工业和信息化部负责日常管理,中讯邮电咨询设计院有限公司负责具体技术内容的解释。执行过程中如有意见或建议,请寄送中讯邮电咨询设计院有限公司(地址:北京市海淀区首体南路9号主语商务中心,邮政编码:100048)。

本规范主编单位、主要起草人和主要审查人:

主 编 单 位:中讯邮电咨询设计院有限公司
主要起草人:朱清峰 王 伟 滕 达
主要审查人:郭 武 王 路 李 继 陈月琴 关延超
　　　　　　程劲晖 董春光 柯媛华 刘利平 潘小炬

目　　次

1 总　　则 …………………………………………………… (1)
2 术　　语 …………………………………………………… (2)
3 市电和通信局站分类及外市电引入 …………………… (4)
4 交流供电系统 ……………………………………………… (6)
 4.1 一般规定 ……………………………………………… (6)
 4.2 高压配电系统 ………………………………………… (6)
 4.3 变压器 ………………………………………………… (7)
 4.4 低压配电系统 ………………………………………… (7)
 4.5 备用发电机组 ………………………………………… (7)
5 直流供电系统 ……………………………………………… (12)
 5.1 一般规定 ……………………………………………… (12)
 5.2 铅酸蓄电池组 ………………………………………… (13)
 5.3 换流设备 ……………………………………………… (14)
 5.4 太阳电池 ……………………………………………… (15)
6 交流不间断电源(UPS)供电系统 ……………………… (16)
 6.1 一般规定 ……………………………………………… (16)
 6.2 系统配置 ……………………………………………… (16)
7 防雷与接地系统 …………………………………………… (18)
8 动力及环境监控系统 ……………………………………… (19)
9 导线选择及布放 …………………………………………… (21)
10 机房及设备布置 ………………………………………… (23)
 10.1 机房要求 …………………………………………… (23)
 10.2 设备布置 …………………………………………… (23)
附录 A 地面用中、小型太阳电池方阵容量计算 ………… (28)

· 1 ·

本规范用词说明 …………………………………………（32）
引用标准名录 ……………………………………………（33）
附：条文说明 ……………………………………………（35）

Contents

1 General provisions ·· (1)
2 Terms ··· (2)
3 Classification of utility power and telecommunication stations and utility power input ······························ (4)
4 Alternative current power supply system ················ (6)
    4.1 General requirements ··· (6)
    4.2 High voltage distribution system ·························· (6)
    4.3 Transformer ·· (7)
    4.4 Low voltage distribution system ··························· (7)
    4.5 Standby generator set ··· (7)
5 Direct current power supply system ························ (12)
    5.1 General requirements ·· (12)
    5.2 Lead-acid battery bank ·· (13)
    5.3 Converter equipment ··· (14)
    5.4 Solar cell ·· (15)
6 Alternative current uninterruptible power system(UPS) ··· (16)
    6.1 General requirements ·· (16)
    6.2 System configuration ··· (16)
7 Lightning protection and earthing system ············· (18)
8 Supervision system for power and environment ········ (19)
9 Conducting wire selection and layout ····················· (21)
10 Room and equipment arrangement ························ (23)
    10.1 Room requirements ·· (23)

10.2 Equipment arrangement ·· (23)
Appendix A　Capacity calculation of small solar cell
　　　　　　matrix for land application ····················· (28)
Explanation of wording in this code ································ (32)
List of quoted standards ··· (33)
Explanation of provisions ··· (35)

1 总 则

1.0.1 为规范通信电源设备的安装设计,确保人员安全、设备安全与正常工作,制定本规范。

1.0.2 本规范适用于新建、改建、扩建通信电源设备安装工程的设计。

1.0.3 通信电源设备安装设计应在保证供电质量的前提下,考虑安装、维护和使用方便,并应保障自然灾害等特殊条件下的通信安全。

1.0.4 在我国抗震设防烈度7度以上(含7度)地区,公用电信网中使用的电源设备必须满足抗震设防要求。

1.0.5 项目设计方案、设备配置等近期建设规模应与远期发展规划相结合,同时还应根据项目建设和发展预测、经济效果、设备寿命、扩建和改建的可能性等因素,进行多方案技术经济比较,选择可靠性高、工程造价和维护成本低的方案。

1.0.6 设计应做到切合实际、技术先进、经济合理、安全适用。扩建和改建工程应充分考虑原有通信设备的特点,合理利用原有建筑、设备和器材,采取革新措施,并应达到先进、适用、经济的目标。

1.0.7 通信电源设计应采用节能技术。

1.0.8 通信局站应采用动力环境集中监控管理系统。

1.0.9 通信电源设备安装工程的设计除应符合本规范外,尚应符合国家现行有关标准的规定。

2 术　语

2.0.1 近期和远期　the near future and forward

考虑工程建设规模,需要对负荷进行经济合理的划分。工程项目建成投产后的1年～3年内为近期;工程项目建成投产后的3年～5年为远期。

2.0.2 集中供电与分散供电　centralize power supply and de-centralize power supply

集中供电是指全局只设一个通信电源供电中心(如电力室,电池室),所有通信设备都由该供电中心的电源供电。

分散供电是指全局分设多个通信电源供电点,每个供电点对邻近的通信设备提供独立的供电电源。

2.0.3 独立电源　independent power supply

指在运行中不受其他电源故障或停电影响的电源。在本规范中主要指发电厂(站)和由两个以上发电厂(站)组成环形电力网上的变电站或开闭所。

2.0.4 引入供电线　input power line

指符合下列市电供电方式引入的供电线路:

1 直接从发电厂(站)或变电站(所)的出线处引入的电缆专线或架空专线线路。

2 从发电厂(站)或变电站(所)的输电线路上直接引入的电缆线路或架空线路。

3 从环形电力网上直接引入的电缆线路或架空线路。

2.0.5 净宽　clear width

指设备与设备或设备与墙面的最大突出部分之间的水平间距。

2.0.6 低电压二级切断 two level low voltage disconnection

低电压二级切断功能是鉴于移动通信传输网络结构的特殊性而采取的保障网络运行安全的措施,即直流供电系统中市电停电蓄电池放电过程中,当蓄电池电压达到某一数值后,自动切断基站无线负荷(一级切断),蓄电池优先供应传输负荷,当蓄电池电压达到终止电压时切断所有负荷(二级切断),保护蓄电池。

2.0.7 保证负荷 assured load

正常情况下由市电供电,市电停电时需由备用发电机组进行供电的负荷。

2.0.8 高压 high voltage

本规范中高压指 10kV 及以上电压等级。

3 市电和通信局站分类及外市电引入

3.0.1 根据通信局站所在地区的供电条件、引入供电线方式及运行状态,将市电供电分为四类,其划分条件应符合下列规定:

  1 一类市电供电应从两个稳定可靠的独立电源各引入一路供电线。该两路不应同时出现检修停电,平均每月停电次数不应大于 1 次,平均每次故障时间不应大于 0.5h。两路引入供电线宜配置备用市电电源自动投入装置。

  2 二类市电供电引入供电线可有计划检修停电,平均每月停电次数不应大于 3.5 次,平均每次故障时间不应大于 6h。供电应符合下列条件之一的要求:

    1)由两个以上独立电源构成稳定可靠的环形网上引入一路供电线;

    2)由一个稳定可靠的独立电源或从稳定可靠的输电线路上引入一路供电线。

  3 三类市电供电引入供电线应从一个电源引入一路供电线,供电线路长、用户多、平均每月停电次数不应大于 4.5 次,平均每次故障时间不应大于 8h。

  4 四类市电供电应符合下列条件之一的要求:

    1)由一个电源引入一路供电线,经常昼夜停电,供电无保证,达不到第三类市电供电要求;

    2)有季节性长时间停电。

3.0.2 通信局站应按其级别和重要性分类,并应符合下列规定:

  1 一类局站应包括省级及以上枢纽、容灾备份中心、长途通信楼、省级核心网局、互联网安全中心、互联网数据中心(R2、R3 级)、计费中心、国际关口局、国际海缆登陆站。

 2 二类局站应包括地市级枢纽、国家级传输干线站、互联网数据中心(R1级)、卫星地球站、客服大楼、无线电台、网管中心。

 3 三类局站应包括县级综合楼、省级传输干线站、模块市话局。

 4 四类局站应包括末端接入网站、移动通信基站、室内分布站。

3.0.3 外市电引入应符合下列规定：

 1 通信局站建设时应充分考虑市电的可靠性，一类局站应考虑采用一类市电引入；二类通信局站宜考虑二类市电引入，具备外市电条件且投资增长不大时可考虑一类市电引入；三类局站，具备条件时可引入二类市电，不具备条件时可引入三类市电；四类局站条件具备时可引入三类及三类以上市电，不具备条件时可引入四类市电。

 2 外市电的引入应考虑将来可扩容性。引入外市电的电压等级可根据当地供电条件、用电容量等要求确定，一般选用10kV市电引入，具备条件且容量较大时可以考虑采用更高电压等级市电引入。

 3 独立设置的核心网、国家级干线传输节点等比较重要的小容量通信负荷，因限于条件无法达到市电引入类别要求时，可提高固定或移动发电机组配置等提高其供电可靠性。

3.0.4 通信局站应优先选用市电作为主用电源。

3.0.5 通信局站内高压电缆不宜采用架空引入方式，同一个局站引入的两路高压电缆不宜同沟进局。

3.0.6 两路引入的市电，当其中一路中断供电时，另一路容量应能满足通信站重要负荷用电。

3.0.7 市电引入线路过长或无市电的通信局站，主用电源可采用太阳能电源供电或其他能源供电。

4 交流供电系统

4.1 一般规定

4.1.1 交流供电系统在满足局站用电负荷要求的前提下,应做到接线简单、操作安全、调度灵活、检修方便。

4.1.2 具有独立变压器的通信局站低压交流供电系统应采用TN-S或TN-C-S接地方式。

4.1.3 交流供电系统中配电应简单可靠,同一电压等级的配电级数高压(10kV及以上等级)不宜多于两级;低压(400V及以下)不宜多于三级。

4.1.4 根据负荷的容量和分布,变配电所应靠近负荷中心。

4.1.5 交流供电系统中的谐波电压和在公共连接点注入的谐波电流允许限值应符合现行国家标准《电能质量公用电网谐波》GB/T 14549的有关规定。

4.1.6 市电间、市电与备用发电机之间采用自动切换方式时应具备电气联锁装置。

4.1.7 自动运行的变配电系统应具备手动操作功能。

4.2 高压配电系统

4.2.1 通信局站高压配电系统应采用放射式配电。

4.2.2 局站变压器容量为630kVA及以上的应设高压配电装置。设有备用市电电源自动投入装置的两路市电引入的供电系统,变压器在630kVA及以上时,市电自动投入装置应设在高压侧;变压器容量在630kVA以下时,市电自动投入装置可设在低压侧。

4.2.3 高压配电系统建设时应考虑局站终期负荷需求,预留高压设备扩容位置或预留高压出线柜。

4.2.4 高压配电断路器宜优先选用高压真空开关,安装位置无法满足要求时,局站负荷总容量在630kVA以下时可选用熔断器。

4.2.5 一类、二类、三类通信局站高压配电系统操作电源宜选取直流操作电源,并配置蓄电池。

4.3 变压器

4.3.1 一类、二类、三类通信局站宜采用专用变压器,选用Dyn11接线组别的三相配电节能变压器。

4.3.2 变压器并联运行时应采用同型号、同容量变压器,其短路阻抗差值应在10%以内。

4.3.3 当高压市电电压变动范围超出额定电压的±7%时,宜采用有载调压变压器。

4.3.4 专用变压器的容量应按满足近期负荷,并应考虑一定的发展负荷需要配置,单台变压器运行负荷不宜小于其额定容量的50%。

4.3.5 季节性负荷变化较大时,宜设置两台或多台变压器,其中一台应承担季节性负荷,其余应能承担长期性负荷。

4.3.6 一类、二类通信局站变压器宜采用两台或多台变压器,当其中一台变压器故障或检修时,其余的变压器应满足保证负荷用电。

4.3.7 室内安装的变压器应采用带温控装置的干式变压器,变压器与配电设备同室安装时应配置防护外壳。

4.4 低压配电系统

4.4.1 不同变压器所带的低压母线段之间应设置联络,联络点宜在市电、备用发电机组转换点之前。

4.4.2 通信局站应安装无功功率自动补偿装置,补偿电容器宜安装在低压侧,应串联一定比例的电抗器,功率因数经补偿后需达到0.9以上并满足当地供电要求。

4.5 备用发电机组

4.5.1 通信局站所配置的备用发电机组,宜采用自动投入、自动切除、自动补给并具有遥信、遥测、遥控性能和标准的接口及通信协议的自动化机组。

4.5.2 容量配置应符合下列规定：

  1 市电供电为一类、二类的局站，远期发展负荷大时，可按满足近期负荷并考虑一定的发展负荷需要配置；远期发展负荷不大时，宜按远期负荷配置。

  2 市电供电为三类的局站，宜按近期负荷配置；远期发展负荷不大时，宜按远期负荷配置。

  3 市电供电为四类的局站，宜按近期负荷配置。

  4 固定使用的发电设备宜选用柴油发电机组，对于单机容量超过 1600kW 的局站可采用燃气轮发电机组；车载发电机组容量在 800kW 及以上的宜选用燃气轮发电机组；容量小于 10kW 的机动发电机组可选用便携式汽油发电机组。

4.5.3 局站可采用高压发电机组（10kV）作为备用电源。

4.5.4 备用发电机组的台数，应根据局站市电供电类别，并应按表 4.5.4 的规定配置。由三类或四类市电供电的移动通信基站、微波和光（电）缆的有人站、模块市话局中，可根据实际需要增配移动备用发电机组供临时调度用。

表 4.5.4 备用发电机组台数和蓄电池组放电小时数配置表

市电类别	配置台数及放电小时数 项目	局站类别 一类局站	二类局站 国家级干线光缆、微波无人传输站③	二类局站 其他局站	三类局站 省级传输干线光缆、微波无人传输站③	三类局站 其他局站	四类局站 移动通信基站 无线设备	四类局站 移动通信基站 传输设备	四类局站 其他局站
一类	备用发电机组台数	N	—	N	—	—	—	—	—
一类	电池总放电小时数	0.5①	—	0.5①	—	—	1	2～4	—

续表 4.5.4

市电类别	配置台数及放电小时数 / 项目	一类局站	二类局站		三类局站		四类局站		
			国家级干线光缆、微波无人传输站③	其他局站	省级传输干线光缆、微波无人传输站③	其他局站	移动通信基站		其他局站
							无线设备	传输设备	
二类	备用发电机组台数	N+1①	N+1	N①	N	N	—	—	—
二类	电池总放电小时数	1	②	1	②	3~1	1~3	12	1~3⑦
三类	备用发电机组台数	—	2N	N	2N	N	④	—	⑥
三类	电池总放电小时数	—	②	2~3	②	4~2	2~4	20	2~4⑦
四类	备用发电机组台数	—	2N	—	2N	—	⑤	—	—
四类	电池总放电小时数	—	②	—	②	—	3~5	24	—

注:①在一、二类局站类别中互联网数据中心,其供电系统的蓄电池放电时间可降低,但不宜低于 10min。其他类别局站交流供电系统满足自动化切换时,蓄电池放电时间不宜低于 15min。

一类局站类别中互联网数据中心(R3级)应采用一类市电引入,油机数量应按 N 进行配置。

一类局站类别中互联网数据中心(R2级)宜采用一类市电引入;当采用二类市电引入时,油机数量应按 N 进行配置。

二类局站类别中互联网数据中心(R1级)可不配置备用发电机组。

②无人通信局站的电池放电小时数应根据以下因素考虑确定。

A. 使用无人值守柴油发电机组的局站:

(a)接到故障信号后应有一定的准备时间(一般不超过 1h);

(b)从维护点到无人站的行程时间(按正常汽车行驶速度计算);

(c)故障排除时间(一般不超过 3h);

(d)一般夜间不派技术人员检修(最长等待时间不超过 12h);

(e)对配备具有延时起动性能的备用发电机组的局站,延时时间应保证电池放出容量不超过20%的储备容量。

　　B.使用太阳能供电的站,放电小时数按当地连续阴雨天数计算。

③采用太阳电池等新能源时,可视维护条件多站共用一台移动发电机组。

④在三类市电时,山区的移动通信基站宜每5个站配置1台移动发电机,平原宜每10个站配置1台移动发电机,在电力资源供应紧张或交通不便的地区可适当调整。

⑤处于四类市电的基站至少每站应配置1台固定使用的发电机组,另外每5个此种类型的站配置1台移动发电机组。

⑥四类局站中重要的站可根据需要配置移动发机组。

⑦四类局站中重要的WLAN、室内分布站可配置蓄电池组,蓄电池组的放电小时数参照要求。

4.5.5 每台备用发电机组的容量应符合下列规定:

　　1 一类、二类市电供电的局站,应按各种直流电源的浮充功率、蓄电池组的充电功率、交流电的通信设备功率、保证空调功率、保证照明功率及其他必须保证设备的功率等确定。

　　2 三类或四类市电供电的局站,除按本条1款各项设备的功率确定外,还应包括部分生活用电设备的功率,四类市电供电的局站还应包括全部生活用电设备的功率。

　　3 对交流不间断电源(UPS)设备,核定其需要发电机组保证的功率时应根据其输入电流谐波含量的大小确定,当输入电流谐波含量在5%～15%时,其需要的发电机组保证功率应按交流不间断电源(UPS)设备负载的1.2倍～2倍计算。

　　4 无线电台每台备用发电机组容量应按设计任务书中提出的保证设备功率确定。无线电台有启闭电报的瞬变负荷时,每台备用发电机组的容量应按大于该类负荷设备总功率的2倍校核。

　　5 有异步电动机负载的局站,备用发电机组的单台容量应按不小于异步电动机额定容量的2倍校核。

　　6 若一个城市内通信局多于3个且每局发电机组为单台配置时,可增配车载发电机组,其功率根据保证负荷最大的局确定,同时考虑一定的余量。

4.5.6 燃油量应符合下列规定:

1 一类、二类通信局站发电机组室内日用燃油箱配置容量应符合现行国家标准《建筑设计防火规范》GB 50016 的有关规定,但其含室外油罐的总燃油量储存不宜小于 8h 燃油量;一类、二类局站中互联网数据中心发电机组的储油不应小于 2h 燃油量。受到位置所限确实无法满足要求的,应具备随时补油管口,并不应影响油机的正常运行。

　　2 无人值守微波站或偏远局站,应根据路途、地理位置、气候原因综合考虑设置燃油储量。

5 直流供电系统

5.1 一 般 规 定

5.1.1 直流供电系统可采用分散或集中供电方式供电。

5.1.2 对于一类、二类局站中有多个业务网络系统,宜采用分散供电方式。分散供电方式应根据通信容量、机房分布、维护技术和维护体制等条件,使电源设备靠近负荷中心,并应提供机动灵活的扩容条件。

5.1.3 直流供电系统应采用在线充电方式以全浮充制运行。电池浮充电压、电池再充电或均衡充电电压、初充电电压,均应根据蓄电池种类和通信设备端子电压要求计算确定。对各种蓄电池的电压要求应符合表5.1.3的有关规定。

表5.1.3 各种蓄电池的电压要求(V/cell)

电压要求 电池种类	浮充电压	再充电或均衡 充电电压	初充电电压
防酸型铅酸蓄电池	2.16～2.20	2.25～2.35	2.35～2.40
阀控式密封铅酸蓄电池	2.20～2.27	2.30～2.35	2.35

注:表中防酸型铅酸蓄电池浮充电压指在电解液密度为$1.215g/cm^3$、温度为25℃的条件下。在电解液密度为$1.240g/cm^3$、温度为20℃的条件下,防酸型铅酸蓄电池浮充电压为2.20V/cell～2.25V/cell。

5.1.4 通信局站用直流基础电源电压应为-48V。-48V 基础电源、24V直流电源、240V直流电源、336V直流电源的电压变动范围应符合表5.1.4的规定。

表5.1.4 电源电压变动范围(V)

标准电压	电信设备受电端子上电压变动范围
-48	-57～-40
24	19～29

续表 5.1.4

标准电压	电信设备受电端子上电压变动范围
240	192～288
336	260～400

5.1.5 要求无瞬间停电的直流供电时,应设置蓄电池组。

5.1.6 直流供电系统的配电设备宜按远期负荷配置。

5.1.7 四类局站中配置蓄电池组的直流供电系统中宜采用低电压二级切断功能。

5.2 铅酸蓄电池组

5.2.1 蓄电池组的容量应按近期负荷配置,依据蓄电池的寿命,考虑远期发展。

5.2.2 直流供电系统的蓄电池宜设置两组。交流不间断电源设备(UPS)的蓄电池组每台宜设一组。当容量不足时可并联,蓄电池组最多的并联组数不应超过四组。

5.2.3 蓄电池组并联应符合以下规定:

　　1 不同厂家、不同容量、不同型号的蓄电池组不应并联使用;

　　2 不同时期的蓄电池组不宜并联使用。

5.2.4 蓄电池组总容量应按本规范表 4.5.4 的规定配置。蓄电池组总容量应按下式计算:

$$Q \geqslant \frac{KIT}{\eta[1+\alpha(t-25)]} \quad (5.2.4)$$

式中:Q——蓄电池组总容量(Ah);

　　　K——安全系数,取 1.25;

　　　I——负荷电流(A);

　　　T——放电小时数(h),见表 4.5.4;

　　　η——放电容量系数,见表 5.2.4;

　　　t——实际电池所在地最低环境温度数值。所在地有采暖设备时,按 15℃考虑,无采暖设备时,按 5℃考虑;

α——电池温度系数(1/℃),当放电小时率≥10 时,取 $\alpha=0.006$;当 10＞放电小时率≥1 时,取 $\alpha=0.008$;当放电小时率＜1 时,取 $\alpha=0.01$。

表 5.2.4 铅酸蓄电池放电容量系数(η)表

电池放电小时数(h)	0.5			1			2	3	4	6	8	10	≥20
放电终止电压(V)	1.65	1.70	1.75	1.70	1.75	1.80	1.80	1.80	1.80	1.80	1.80	1.80	≥1.85
放电容量系数 防酸电池	0.38	0.35	0.30	0.53	0.50	0.40	0.61	0.75	0.79	0.88	0.94	1.00	1.00
放电容量系数 阀控电池	0.48	0.45	0.40	0.58	0.55	0.45	0.61	0.75	0.79	0.88	0.94	1.00	1.00

5.2.5 交流不间断电源(UPS)系统的蓄电池组总容量应按公式 5.2.4 计算。式中蓄电池组的计算放电电流 I 应按下式计算。

$$I = \frac{S \times \cos\phi}{\mu U} \times 1000 \quad (5.2.5)$$

式中:I——蓄电池的计算放电电流(A);
　　　S——UPS 设备额定容量(kVA);
　　$\cos\phi$——UPS 设备输出功率因数;
　　　μ——逆变器的效率;
　　　U——蓄电池放电时逆变器的输入电压(V),单体电池电压取 1.85V。

5.3 换 流 设 备

5.3.1 整流器、变换器的容量应按近期负荷配置。

5.3.2 组合电源整流模块数可按近期负荷配置,但满架容量应考虑远期负荷发展,单独建立的移动通信基站组合电源应具备低电压二级切断功能。

5.3.3 整流器的容量及数量应符合下列规定:

1 采用高频开关型整流器的局(站)，应按 $N+1$ 冗余方式确定整流器配置，其中 N 只主用，当 N 小于或等于 10 时，应备用 1 只；当 N 大于 10 时，宜每 10 只备用 1 只。除无人站外，主用整流器的总容量应按负荷电流和电池的均充电流（10h 率充电电流）之和确定。

　　2 对于采用太阳电池等新能源混合供电系统供电的局站，当蓄电池 10h 率充电电流远大于通信负荷电流时，主用整流器的容量应按负荷电流和 20h 率的充电电流之和确定。采用交流电源车上站充电的局站，整流器的总容量应按负荷电流和蓄电池 10h 率的充电电流之和确定。

　　3 采用电启动备用发电机组，无随机附带充电整流器时，应配置启动电池充电用整流器。电力室应配置处理落后电池用充电整流器。

5.3.4 采用直流-直流变换器时，应按 $N+1$ 冗余配置。

5.4 太阳电池

5.4.1 与市电相结合的混合供电方式电源系统中的太阳电池，当远期发展负荷不大时，应按分担的远期负荷配置；远期发展负荷大时，可按满足分担的近期负荷并考虑一定的发展负荷需要配置。

5.4.2 单独使用太阳电池与蓄电池构成的电源系统中，太阳电池的容量配置除应按照上述原则承担全部负荷配置以外，还应考虑蓄电池充电的需要。

5.4.3 单独使用太阳电池的供电系统，以及太阳电池与市电构成的混合供电系统中的太阳电池方阵总容量计算可按本规范附录 A 执行。

5.4.4 采用多个太阳电池子阵分别调压的电源系统，太阳电池保留子阵的容量应按负荷电流与蓄电池补充充电电流之和计算确定，并应使其在日照最好的条件下发出的电流不会造成对蓄电池过充电。其余子阵的容量可按投入的先后顺序和日照曲线从小到大分级确定。

6 交流不间断电源(UPS)供电系统

6.1 一般规定

6.1.1 要求交流不间断供电的通信负荷,宜采用交流不间断电源(UPS)供电系统供电;容量小于10kVA时可采用逆变器供电系统供电。

6.1.2 交流不间断电源(UPS)供电系统的主路输入(整流器输入)和静态旁路的输入,应分别引自不同的输入开关。

6.1.3 同一套交流不间断电源(UPS)供电系统内部,不同交流不间断电源(UPS)设备的旁路电源应同源。

6.1.4 容量大于10kVA的交流不间断电源(UPS)供电系统负载端宜做到三相平衡,中性线电流不应大于相线电流的50%。

6.1.5 采用交流不间断电源(UPS)供电系统时,其容量应按最大负荷功率确定;远期负荷增加不大时,宜按远期配置;系统的冗余配置应根据通信负荷的重要性确定。

6.2 系统配置

6.2.1 交流不间断电源(UPS)供电系统宜采用 $N+1$ 并联冗余或 $2N$ 双母线供电模式,且并联的台数不宜超过3台。

6.2.2 采用模块化交流不间断电源(UPS)供电系统时,宜采用具有独立控制功能的模块。

6.2.3 采用交流不间断电源(UPS)供电系统时,单机负荷率最大不宜超过额定容量的90%。

6.2.4 采用交流不间断电源(UPS)供电系统时,宜设置可将整套交流不间断电源(UPS)供电系统旁路的外部旁路。

6.2.5 采用交流不间断电源(UPS)供电系统时,输入、输出配电屏的所有断路器宜采用电子脱扣。

6.2.6 交流不间断电源(UPS)供电系统中蓄电池组容量的计算,应按本规范第5.2.4条中的规定执行。

7 防雷与接地系统

7.0.1 通信局站应采用系统的综合防雷措施,并应包括直击雷防护、联合接地、等电位连接、电磁屏蔽、雷电分流和雷电过电压保护等措施。

7.0.2 通信局站应采用联合接地方式。

7.0.3 通信局站应采用等电位设计,应根据具体情况采取相应的过电压保护措施。

7.0.4 通信局站的雷电过电压保护设计应根据当地雷电活动情况和局(站)性质,选择合理的保护等级。

7.0.5 通信局站的电源系统,应采取雷电过电压分级保护措施。

7.0.6 防雷与接地系统设计的其他要求,应符合现行国家标准《通信局(站)防雷与接地工程设计规范》GB 50689 的有关规定。

8 动力及环境监控系统

8.0.1 通信局（站）的电源、空调和环境信息应纳入专用的动力及环境监控系统进行管理。

8.0.2 动力及环境监控系统网络结构宜采用逐级汇接的网络结构，并应包括端局（站）设置监控单元（SU），区域若干个端局（站）设置区域监控中心（SS），本地网设置监控中心（SC），省级可设置省监控中心（PSC）(图8.0.2)。

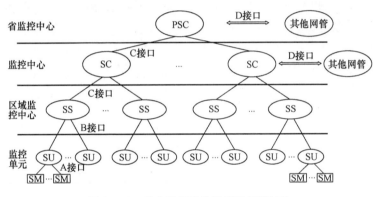

图 8.0.2 动力及环境监控系统网络结构

8.0.3 动力及环境监控系统网络结构组网应符合下列规定：

1 省内可设置一个省监控中心（PSC）；

2 本地网可设置一个监控中心（SC），属于本地网管的一个组成部分；监控中心（SC）可下设一个或数个区域监控中心（SS）；

3 区域监控中心（SS）可下设数个通信局站监控单元（SU）；

4 各通信局站可设置一个或数个监控模块（SM）。

8.0.4 监控模块（SM）与监控单元（SU）之间，宜采用总线和点到点通信方式。物理接口应采用 RS485/RS422、RS-232C。监控单元(SU)、区域监控中心(SS)、监控中心(SC)、省监控中心(PSC)之间的通信应充分利用已建成的管理网络。区域监控中心(SS)、监控中心(SC)与省监控中心(PSC)间的主用传输路由不应采用拨号线方式。

8.0.5 动力及环境监控系统网络结构的主要监控对象应为高压配电设备、低压配电设备、变压器、备用发电机组、UPS、逆变器、整流配电设备、蓄电池组、直流-直流变换器、太阳能控制设备、风能设备、空调设备、新风设备、防雷设备,以及安装这些设备的各机房门禁、环境等参数。

8.0.6 动力及环境监控系统网络结构的主要监控内容应包括电压、电流、频率、功率、谐波、电度、设备运行状态、温湿度、烟雾、水浸、门禁等。

9 导线选择及布放

9.0.1 高压柜出线、低压配电设备的交流进线导线截面宜按变压器容量计算,低压配电屏的出线截面应按被供负荷的容量计算。

9.0.2 备用发电机组的输出导线,应按其额定容量选择导线截面。

9.0.3 采用电源馈线的规格,应符合下列规定:

 1 通信用交流中性线应采用与相线相等截面的导线。

 2 线路的电压损失应满足用电设备正常工作及启动时端电压的要求。

 3 应按敷设方式及环境条件确定导体的载流量,同时应满足热稳定及机械强度的要求。

 4 接地导线宜采用铜芯导线。

 5 沿海等有盐雾腐蚀的环境条件下,应采用铜芯导线。

 6 机房内的导线应采用阻燃电缆或耐火电缆。

9.0.4 当按满足电压要求选取直流放电回路的导线时,直流放电回路全程压降值应符合下列规定:

 1 48V 电源不应大于 3.2V;

 2 24V 电源不应大于 2.6V;

 3 240V、336V 电源不应大于 12V;

 4 采用太阳电池的供电系统中,太阳电池至直流配电屏的直流导线电压降可按 1.7V 计算。

9.0.5 保护地线(PE)最小截面应符合表 9.0.5 的规定。

表 9.0.5 保护地线最小截面选择表(mm^2)

相线截面	PE 线截面
S≤16	S
16＜S≤35	16

续表 9.0.5

相线截面	PE线截面
35＜S≤400	≥$S/2$
400＜S≤800	≥200
S＞800	≥$S/4$

9.0.6 直流电源馈线应按远期负荷确定,当近期负荷与远期负荷相差悬殊时,可按分期敷设的方式确定,设计时应考虑将来扩装的条件。

9.0.7 导线布置应符合现行国家标准《电力工程电缆设计规范》GB 50217 的有关规定。

9.0.8 高压电缆和低压电缆在室外不宜同沟敷设,同沟敷设时应分开两边敷设。二次信号电缆与一次电缆不宜同沟敷设,二次电缆应采用屏蔽电缆。

9.0.9 交流电缆与直流电缆在机房内不宜同上线井、同架、同槽敷设。当交、直流电缆无法避免同架长距离并行敷设时,应采取屏蔽措施。

10 机房及设备布置

10.1 机房要求

10.1.1 通信电源各种机房工艺要求,应符合现行行业标准《通信建筑工程设计规范》YD 5003 的有关规定。

10.1.2 通信局站的发电机室消噪声的设计,应符合现行行业标准《通信用柴油发电机组消噪音工程设计暂行规定》YD 5167 的有关规定。

10.1.3 发电机室根据环保要求采取消噪声措施时,应符合现行国家标准《声环境质量标准》GB 3096 的有关规定;机组由于消噪声工程所引起的功率损失,应小于机组额定功率的 5%。

10.2 设备布置

10.2.1 通信电源各种机房的设置应按实际需要确定。各种机房的功能划分应符合下列规定:

1 高压配电室应安装高压配电设备及操作电源。
2 变压器室应安装变压器设备。
3 低压配电室应安装低压配电设备和无功功率补偿设备。
4 变配电室应安装变压器与配电设备。
5 发电机室应安装备用发电机组及附属设备。
6 储油库应储备备用发电机组的用油,储油库的容量应按远期备用发电机组需要配置。
7 电力室应安装通信用的整流配电设备,包括交流配电屏、直流配电屏、整流器、直流-直流变换器、屏式调压(稳压)器、组合式整流配电设备、交流不间断电源及逆变设备等。
8 电池室应安装蓄电池组。使用防酸隔爆蓄电池时,电池室宜附设储酸室,存储硫酸、蒸馏水等。

  9 电力电池室应安装通信用整流配电设备和蓄电池组。

  10 集中监控室应安装集中监控终端设备。

10.2.2 有人通信局站应设置电力值班室。规模容量较大的局站还应设置修机室、储藏室等辅助生产房间。

10.2.3 电力机房应靠近负荷中心。

10.2.4 在经常发生水灾地区的通信局站,电源设备应设置在当地水位警戒线以上的机房内或采取其他防水灾措施。

10.2.5 发电机室设备布置应符合下列规定:

  1 备用发电机组周围的维护工作走道净宽不应小于1m,操作面的维护通道净宽不宜小于1.5m。

  2 发电机室内装控制、转换、配电设备时,各设备背面与墙之间的走道净宽不应小于0.8m;其正面与设备(或墙)之间的走道净宽不应小于1.5m;其侧面与墙之间的走道不应小于0.8m。

  3 发电机组的排气管路不宜多于2个90°弯,当排气管路过长或90°弯头超过2个时,排气管应加大截面积,并应满足机组排气背压的要求。

10.2.6 电力室配电屏及各种换流设备的布置应符合下列规定:

  1 配电屏及各种换流设备的正面之间的主要走道净宽不宜小于1.5m。

  2 配电屏及各种换流设备的正面与侧面之间的维护走道净宽不宜小于1.2m。

  3 配电屏及各种换流设备的正面与背面之间的维护走道净宽不宜小于1.2m。

  4 配电屏及各种换流设备的背面与背面之间的维护走道净宽不应小于1m。

  5 配电屏及各种换流设备可与通信设备同列安装;配电屏及各种换流设备的正面与通信设备的正面或背面之间的走道不宜小于2m。

6 配电屏及各种换流设备的背面与通信设备的正面或背面之间的净宽,应按通信设备相应的布置要求确定。

7 配电屏及各种换流设备的正面与墙之间的主要走道净宽不宜小于1.5m。

8 配电屏及各种换流设备的背面与墙之间的维护走道净宽不应小于0.8m。

9 配电屏及各种换流设备的侧面与墙之间的次要走道净宽不应小于0.8m;当为主要走道时,其净宽不应小于1m。

10.2.7 蓄电池组的布置应符合下列规定:

1 立放蓄电池组之间的走道净宽不应小于单体电池宽度1.5倍,最小不应小于0.8m;立放双层布置的蓄电池组,其上下两层之间的净空距离应为单体电池高度的1.2倍~1.5倍。

2 立放双列布置的蓄电池组,一组电池的两列之间净宽应满足电池抗震架的结构要求。

3 立放蓄电池组侧面与墙之间的次要走道净宽不应小于0.8m;当为主要走道时,其净宽不宜小于电池宽度的1.5倍,最小不应小于1m;立放单层双列布置的蓄电池组可沿墙设置,其侧面与墙之间的净宽不宜小于0.1m。

4 立放蓄电池组一端靠墙设置时,列端电池与墙之间的净宽不宜小于0.2m。

5 立放蓄电池组一端靠近机房出入口时,应留有主要走道,其净宽宜为1.2m~1.5m,最小不应小于1m。

6 卧放阀控式蓄电池组的侧面之间的净宽不应小于0.2m。

7 卧放阀控式蓄电池组的正面走道净宽不应小于电池总高度的1.5倍,最小不应小于1m。

8 卧放阀控式蓄电池组可靠墙设置,其背面与墙之间的净宽宜为0.1m。

9 卧放阀控式蓄电池组的侧面与墙之间的净宽不应小于0.2m。

10.2.8 阀控式蓄电池组的安装应符合下列规定：

 1 阀控式蓄电池组可与通信设备、配电屏及各种换流设备同机房安装，采用电池柜时亦可与设备同列布置。

 2 立放阀控式蓄电池组的侧面或列端电池与通信设备、配电屏及各种换流设备的正面之间的主要走道净宽不宜小于1.5m。

 3 立放阀控式蓄电池组的侧面与通信设备、配电屏及各种换流设备的侧面或背面之间的维护走道净宽不应小于0.8m。

 4 卧放阀控式蓄电池组的正面与通信设备、配电屏及各种换流设备的正面之间的主要走道净宽不宜小于1.5m。

 5 卧放阀控式蓄电池组的侧面或背面与通信设备、配电屏及各种换流设备之间的维护走道净宽不应小于0.8m，同列安装时可以靠紧。

10.2.9 四类局站不能满足本规范中第10.2.6条～第10.2.8条的要求时，其设备布置应满足安装、操作及最小维护距离的要求。

10.2.10 墙挂式设备不应安装在暖气散热片的上方或下方，不应安装在空调的下方。

10.2.11 在要求抗震设防的通信局站，加固措施应符合现行行业标准《电信设备安装抗震设计规范》YD 5059的有关规定。

10.2.12 高压配电设备、变压器、低压配电设备的布置应符合现行行业标准《民用建筑电气设计规范》JGJ 16中的有关规定。

10.2.13 太阳电池的布置应符合下列规定：

 1 太阳电池宜靠近负荷中心设置。

 2 太阳电池方阵宜布置在平面的机房屋顶或地面支架上。

 3 太阳电池方阵四周应留维护走道，净宽不应小于0.8m。

 4 太阳电池方阵采光面应向正南放置。方阵前方应无建筑物、树木等遮挡物。太阳电池与遮挡物之间的距离应根据不同地区、不同遮挡时限要求和遮挡物高度计算确定。

 5 前后排列的太阳电池方阵，应以前排方阵的高度，根据当地纬度和遮挡时限要求计算两排之间最小间距。当受面积限制采取提高后排基础高度的办法缩短前后排间距时，基础需要提高的高度应按下式计算：

$$\Delta H' = (1 - D'/D)H \tag{10.2.13}$$

式中：$\Delta H'$——基础需要提高的高度(mm)；

　　　D'——缩短后的前后排间距(mm)；

　　　H——前排太阳电池方阵的高度(mm)；

　　　D——原定前后排间距(mm)。

附录 A 地面用中、小型太阳电池方阵容量计算

A.0.1 太阳电池方阵的容量计算,应根据供电系统中的电压要求、太阳电池电源所分担的负荷电流大小和使用地点的日照条件等情况,计算出太阳电池方阵的总组件数,并应根据每个组件在标准测试条件下的额定功率计算方阵的总功率。

A.0.2 单独使用太阳电池与蓄电池购成的半浮充制供电电源系统中,太阳电池方阵总容量可按下式计算:

$$P = \frac{V_P I [8760-(1-\eta_b)T](V_0 N_b + V_1)F_C}{\eta_b \eta T[V_P + \alpha(t_2-t_1)N_m]} \quad (A.0.2)$$

式中:P——太阳电池方阵总容量(W);

V_P——一个太阳电池组件在标准测试条件下取得的工作点电压(V);

I——负荷电流(A);

η_b——蓄电池充电安时效率,铅蓄电池取 $\eta_b=0.84$;

T——当地年日照时数(h);

V_0——每只蓄电池浮充电压(V);

N_b——每组蓄电池只数;

V_1——串入太阳电池至蓄电池供电回路中的元器件和导线在浮充供电时引起的压降(V);

F_C——影响太阳电池发电量的综合修正系数,一般取 1.2~1.5;

η——根据当地平均每天日照时数折合成标准测试条件下光照时数所取的光强校正系数,一般取 $\eta=0.6\sim2.3$;

α——一个太阳电池组件中单体太阳电池的电压温度系数,其值为 $-0.002\text{V}/℃\sim-0.0022\text{V}/℃$;

t_1——太阳电池标准测试温度(℃);

t_2——太阳电池组件工作温度(℃);

N_m——一个太阳电池组件中单体太阳电池串联只数;

8760——平年每年小时数(h)。

A.0.3 在与市电组合的混合供电方式电源系统中,太阳电池方阵总容量可用式(A.0.2)计算,式中的 I 应取太阳电池所分担的负荷电流。

A.0.4 固定接入的太阳电池子阵,其容量应为一年中光照最好的一天中午一段时间内,该子阵所发出的电量恰能满足通信负荷要求,而不使蓄电池过充电。该子阵的容量宜按下式计算:

$$P_g = \frac{V_P I(V_0 N_b + V_1) F_C}{\eta_z [V_P + \alpha(t_2 - t_1)N_m]} \qquad (A.0.4)$$

式中:P_g——固定接入的太阳电池子阵总容量(W);

V_P——一个太阳电池组件在标准测试条例上取得的工作点电压(V);

I——负荷电流(A);

V_0——每只蓄电池浮充电压(V);

N_b——每组蓄电池只数;

V_1——串入太阳电池至蓄电池供电回路中的元器件和导线在浮充供电时引起的压降(V);

η_z——根据当地平均中午日照时数折合成标准测试条件下光照时数所取的光强校正系数,一般取 $\eta_z = 0.95 \sim 2.50$;

α——一个太阳电池组件中单体太阳电池的电压温度系数,其值为 $-0.002V/℃ \sim -0.0022V/℃$;

t_1——太阳电池标准测试温度(℃);

t_2——太阳电池组件工作温度(℃);

N_m——一个太阳电池组件中单体太阳电池串联只数。

A.0.5 式(A.0.2)中 η、式(A.0.4)中的 η_z 值应按表 A.0.5 进行选取(图 A.0.5)。

表 A.0.5 η、η_z 的选取值

年总辐射量(Kcal/cm², 年)	η	η_z
90	0.6	0.95
110	0.8	1.00
130	1.00	1.20
150	1.20	1.50
170	1.50	1.80
190	1.80	2.20
210	2.20	2.40

A.0.6 太阳电池方阵总组件数,除去固定接入的子阵组件数,其余的组件可根据调压级数和日光照曲线进行分组。

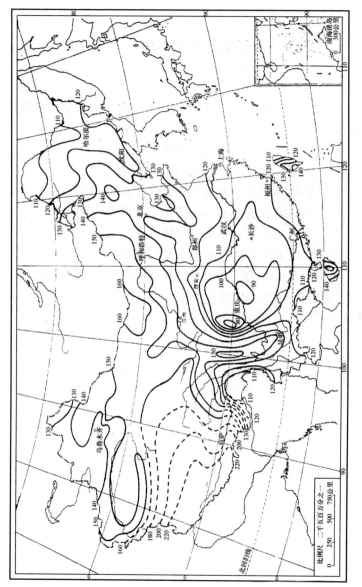

图 A.0.5 我国地面年总辐射量表（Kcal/cm², 年）

本规范用词说明

1 为便于在执行本规范条文时区别对待,对要求严格程度不同的用词说明如下:

1) 表示很严格,非这样做不可的:

正面词采用"必须",反面词采用"严禁";

2) 表示严格,在正常情况下均应这样做的:

正面词采用"应",反面词采用"不应"或"不得";

3) 表示允许稍有选择,在条件许可时首先应这样做的:

正面词采用"宜",反面词采用"不宜";

4) 表示有选择,在一定条件下可以这样做的,采用"可"。

2 条文中指明应按其他有关标准执行的写法为:"应符合……的规定"或"应按……执行"。

引用标准名录

《建筑设计防火规范》GB 50016
《电力工程电缆设计规范》GB 50217
《通信局(站)防雷与接地工程设计规范》GB 50689
《民用建筑电气设计规范》JGJ 16
《互联网数据中心工程技术规范》GB 51195
《声环境质量标准》GB 3096
《电能质量公用电网谐波》GB/T 14549
《电信专用房屋工程设计规范》YD 5003
《电信设备安装抗震设计规范》YD 5059
《通信用柴油发电机组消噪音工程设计暂行规定》YD 5167

中华人民共和国国家标准

通信电源设备安装工程设计规范

GB 51194-2016

条 文 说 明

制 订 说 明

《通信电源设备安装工程设计规范》GB 51194—2016，经住房城乡建设部 2016 年 8 月 26 日以第 1293 号公告批准发布。

本标准制定过程中，编制组进行了细致的调查研究，总结了我国通信电源工程建设的实践经验。

为便于广大设计、施工、科研、学校等单位有关人员在使用本标准时能正确理解和执行条文，《通信电源设备安装工程设计规范》编制组按章、节、条顺序编制了本标准的条文说明，对条文规定的目的、依据以及执行中需注意的有关事项进行了说明。但是，本条文说明不具备与标准正文同等的法律效力，仅供使用者作为理解和把握标准规定的参考。

目 次

1 总 则 ……………………………………………………（41）
3 市电和通信局站分类及外市电引入 ………………（42）
4 交流供电系统 …………………………………………（43）
   4.1 一般规定 …………………………………………（43）
   4.5 备用发电机组 ……………………………………（43）
5 直流供电系统 …………………………………………（44）
   5.1 一般规定 …………………………………………（44）
   5.2 铅酸蓄电池组 ……………………………………（44）
   5.3 换流设备 …………………………………………（44）
6 交流不间断电源（UPS）供电系统 ……………………（46）
   6.2 系统配置 …………………………………………（46）
7 防雷与接地系统 ………………………………………（48）
8 动力及环境监控系统 …………………………………（49）
9 导线选择及布放 ………………………………………（50）
10 机房及设备布置 ………………………………………（51）

1 总 则

1.0.2 本规范中的通信电源设备安装工程是指公用电信网中的通信电源设备安装工程,其他专网的通信电源设备安装工程可参照执行。

1.0.4 本条为强制性条文,必须严格执行。根据《中华人民共和国防震减灾法》中有关新建、扩建、改建工程应当达到抗震设防要求的内容,抗震设防烈度7度以上(含7度)地区使用的电源设备,若达不到抗震设防要求,将会危及电源设备的安全运行,造成中断事故。通信系统工程作为生命线工程,建设中使用的主要电信设备必须满足抗震设防的要求,以提高网络的抗震设防水平。

3 市电和通信局站分类及外市电引入

3.0.1 对本条的说明如下：

1 从独立电源的供电环网上 T 接或其延伸的开闭所引接都可以看作是一路市电的引入。

3.0.2 根据现行国家标准《互联网数据中心工程技术规范》GB 51195 的规定，IDC 机房可划分为 R1、R2、R3 三个级别，各级 IDC 机房应符合下列规定：

（1）R1 级 IDC 机房的机房基础设施和网络系统的主要部分应具备一定的冗余能力，机房基础设施和网络系统可支撑的 IDC 业务的可用性不应小于 99.5%。

（2）R2 级 IDC 机房的机房基础设施和网络系统应具备冗余能力，机房基础设施和网络系统可支撑的 IDC 业务的可用性不应小于 99.9%。

（3）R3 级 IDC 机房的机房基础设施和网络系统应具备容错能力，机房基础设施和网络系统可支撑的 IDC 业务的可用性不应小于 99.99%。

3.0.6 两路市电引入的局站，第一路市电引入容量要求满足局站全部负荷的用电需求，第二路市电引入容量应根据局站中负荷是否需要两路市电进行保障而确定。

4 交流供电系统

4.1 一般规定

4.1.5 通信局站中的谐波主要来自交流不间断电源(UPS)系统及开关电源系统。通信局站中经治理后总的电流谐波含量(THD_i)不大于5%。

4.1.7 变配电系统自动化运行设计在工程中越来越多,本条文要求是为了提高自动运行变配电系统的供电可靠性,在自动功能失灵的情况下可以通过人工操作完成诸如市电切换、油机启停、市电油机切换等工作,避免由于自动功能失灵造成通信系统中断带来的损失。本条为强制性条文,必须严格执行。

4.5 备用发电机组

4.5.3 随着数据业务的快速发展,一类局中的数据中心的负荷量越来越大。400V备用发电机组由于电压较低,随着负荷量的增加,在使用中受到的限制越来越明显,尤其是在备用发电机组设置距离供电中心较远时,输出电力电缆的敷设比较困难。因此在数据中心的设计中,可综合考虑负荷、距离、经济等因素,采用高压(10kV)发电机组的可能性。

4.5.4 本条文中 N 是指保证负荷所需的备用发电机组的台数。

4.5.6 在通信局站的备用发电机组的设计中,有采用燃气轮发电机组作为备用电源的,应以柴油作为燃料。

5 直流供电系统

5.1 一 般 规 定

5.1.4 近年来出现了为数据设备供电的一种新方式,即240V或336V直流供电方式。240V与336V直流供电方式已逐步应用于数据设备中,因此本标准中将240V与336V直流供电系统相关指标加入。而24V直流系统还将存在一段时间,故保留24V直流供电系统电压变动范围。

5.2 铅酸蓄电池组

5.2.2 过多蓄电池组的并联影响电池的使用寿命,易于落后电池的产生,故需加以限制。

5.2.3 不同厂家、不同容量、不同型号的蓄电池组由于制造工艺不同、内部材质差异而导致内阻(电导)差别较大,若并联使用对蓄电池组寿命会造成影响,因此有此规定。"不同时期"的蓄电池可以解释为出厂日期相差超过一年以上的蓄电池。

5.2.4 表4.5.4中蓄电池总放电小时数给出了一个范围,在同种市电类别下,因变配电系统结构、设备类型、备用电源等配置不同,系统供电的可靠性会有较大差别。设计时可综合考虑该局站供电系统设备配置档次、备用电源情况、维护水平、维护路程的情况选择放电时间,以上情况较好的选择较短的放电时间,较差的选择较长的放电时间。

5.3 换 流 设 备

5.3.2 增加移动通信基站组合电源低电压二级切断功能可以更好地保证移动网络运行的安全及设备的安全。市电停电蓄电池放电时第一级切断首先切断基站的无线设备,蓄电池的容量优先保证传输;第二级切断切掉基站所有直流负荷,保护蓄电池。维护人员应至少在第二级切断前到达现场,进行油机供电。

6 交流不间断电源(UPS)供电系统

6.2 系统配置

6.2.1 UPS供电系统的供电类型主要有：单机运行、串联冗余、$N+1$并联冗余、$2N$双母线供电等模式。除给末端通信设备（小区接入网设备、移动通信直放站等）或重要性较低的设备供电时可采用单机运行、串联冗余方式外，其他情况下宜选用$N+1$并联冗余和双母线供电模式。$N+1$并联冗余和双母线供电模式的系统方框图见图1、图2。

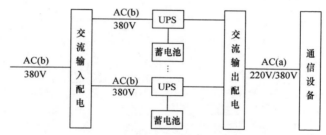

图1 $N+1$并联冗余UPS供电系统方框图
(a)—不间断；(b)—可短时间中断

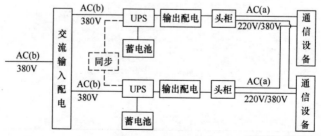

图2 双母线UPS供电系统方框图
(a)—不间断；(b)—可短时间中断

采用双母线模式 UPS 供电系统时，每个系统不应为单机运行，应为 $N+1$ 并联冗余方式。

双母线模式 UPS 供电又可分为两种方式，分别为：带有同步控制器的双母线模式 UPS 供电和不带同步控制器、完全独立的双母线模式 UPS 供电。

7 防雷与接地系统

7.0.2 联合接地是实现通信局站均压等电位的基本措施。联合接地的含义是将局站内各建筑物的基础接地体和其他专设接地体相互连通形成一个共用地网,建筑物防雷接地和室内接地系统均由一个共用地网引出。同时,楼内电子设备的保护接地、逻辑接地、屏蔽体接地、防静电接地等共用一组接地系统,局内各开关电源的工作地也要与该接地系统连通,以获得相同的电位参考点。

当高压供电线路或局内铁塔遭受雷击时,变压器地网或铁塔地网会有大量雷电流入地,从而引起变压器地网或铁塔地网出现巨大的地电位升,如不采取联合接地方式,就会对机房内设备产生反击,易造成设备损坏。采用联合接地措施后,可以最大限度地减小系统内产生的雷电过电压,并为过电压保护提供良好的基础,保证设备的安全。本条为强制性条文,必须严格执行。

8 动力及环境监控系统

8.0.1 通信局(站)动力及环境监控系统是提高通信局站电源系统稳定、可靠、安全供电和集中维护管理的一个重要环节。动力及环境监控系统的目标是对监控范围内的电源系统、空调系统和系统内的各个设备及机房环境进行遥信、遥测、遥控,实时监视系统和设备运行状态,记录和处理监控数据,及时检测故障并通知维护人员处理,实现电源、空调的集中维护和优化管理,提高供电系统的可靠性和通信设备的安全性,达到通信局站少人或无人值守。

8.0.2 动力及环境监控系统宜采用逐级汇接的网络结构,即:端局(站)设置监控单元 SU(Supervision Unit),区域若干个端局(站)设置区域监控中心 SS(Supervision Station),本地网设置监控中心 SC(Supervision Center),省级可设置省监控中心 PSC(Province Supervision Center)。典型的逐级汇接的网络结构如图 8.0.2 所示。实际工程建设时,可根据维护体制的不同和传输的特点,对图 8.0.2 所示的网络结构进行合理的调整。可以取消 SS 管理级别,由 SU 直联 SC;在 SU 直联 SC 的情况下,也可以采用从 SC 反牵终端的方式实现区域监控中心 SS 的功能。

9 导线选择及布放

9.0.3 本条对电源馈线的规格作出了规定：

1 对于供给开关电源及 UPS 等非线性负载的交流电缆中性线应采用与相线相等截面的导线。

6 根据通信机房的重要性，考虑防火要求，所采用的电缆应为阻燃电缆或耐火电缆，以避免发生火灾时扩大火灾范围，造成重大经济损失和人身伤亡。本款为强制性条款，必须严格执行。

10 机房及设备布置

10.1.3 为避免由于发电机组安装不规范及消噪声工程引起的机组功率过度损失问题而制订该条文。